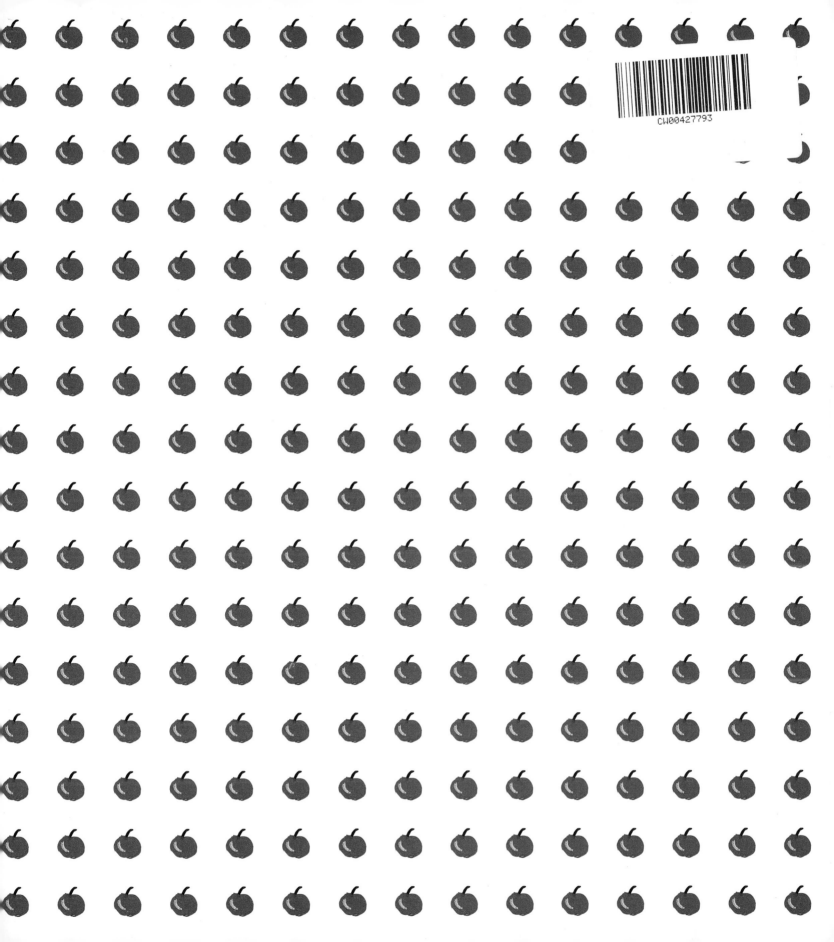

Le secret  par Éric Battut…

Didier Jeunesse

Oh ! la belle pomme dorée !

Ce sera mon secret.

Je vais la cacher...

- Qu'est-ce que tu as caché ? demande l'écureuil.
- C'est mon secret, je ne le dirai jamais.

- Qu'est-ce que tu as caché ? demande l'oiseau.
- C'est mon secret, je ne le dirai jamais.

- Qu'est-ce que tu as caché ? demande la tortue.
- C'est mon secret, je ne le dirai jamais.

- Qu'est-ce que tu as caché ? demande le hérisson.
- C'est mon secret, je ne le dirai jamais.

- Qu'est-ce que tu as caché ? demande le lapin.
- C'est mon secret, je ne le dirai jamais.

- Qu'est-ce que tu as caché ? demande la grenouille.
- C'est mon secret, je ne le dirai jamais.

J'ai un secret,
et personne ne le connaîtra jamais.

Oh ! mon secret...

Mmmmmmm…

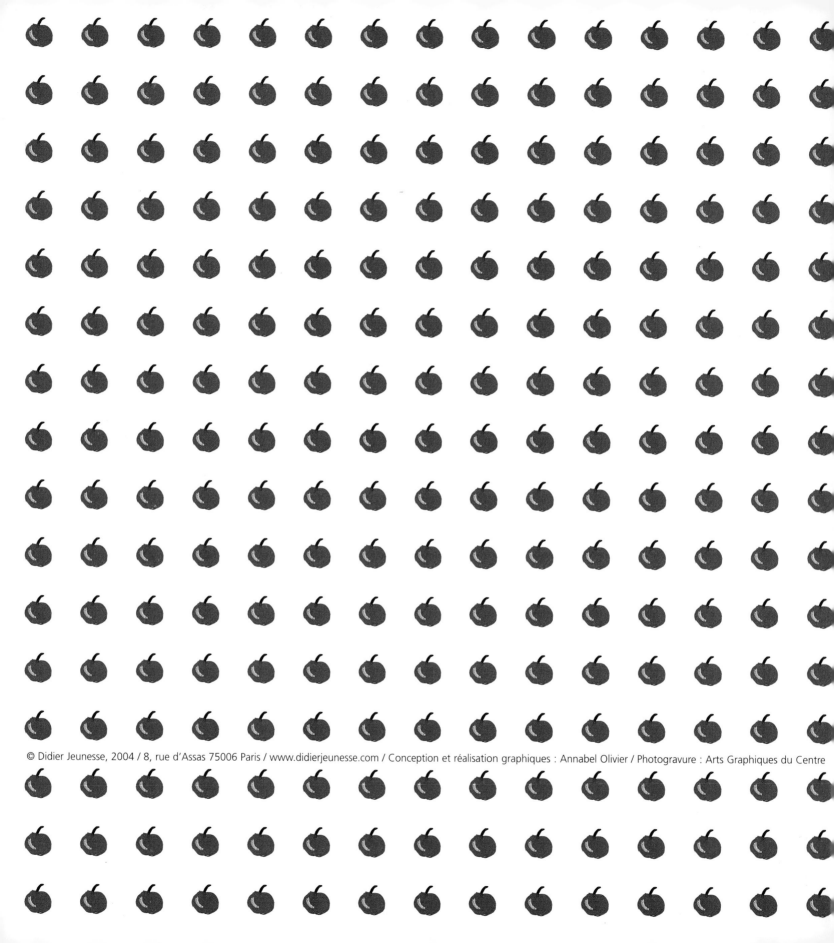